# Chile

Santiago, Palacio de la Moneda, sede del Poder
Ejecutivo. Construido por el arquitecto romano
Joaquín Toesca, fue inaugurado en 1805.

*Moneda Palace, Santiago, seat of Executive Power.*
*Built by the Roman architect Joaquin Toesca,*
*inaugurated in 1805.*

Editorial Kactus

Santiago, la capital de Chile, fundada por Pedro de Valdivia a los pies de la Cordillera de los Andes en 1541. La Región Metropolitana tiene aproximadamente cinco millones de habitantes. El clima en el valle de Santiago es templado, con temperaturas medias de 8º C en invierno y de 22º C en verano.

*Santiago, capital of Chile, founded by Pedro de Valdivia at the foot of the Andes Mountain Range in 1541. The Metropolitan Region has a population of approximately five million. The climate in the Santiago Valley is temperate with a summer average of 22 ºC and winter with 8 ºC.*

Iglesia de San Francisco, construida a fines del siglo XVI y principios del XVII, es uno de los edificios más antiguos de Chile. En su interior, un Museo de Arte Colonial alberga 54 telas sobre la vida de Francisco de Asís, pintadas en el Cuzco, Perú, entre 1568 y 1684.

*The San Francisco Church, built in the late 16th and early 17th centuries. It is one of the oldest monuments in Chile. Inside the Museum of Colonial Art, there are 54 fabrics that describe the life of Francisco de Asis, painted in Cuzco, Peru, between 1568 and 1684.*

Santiago, Plaza de Armas con la Catedral al fondo.
A la izquierda la estatua de Pedro de Valdivia fundador de Santiago y a la derecha, tres monumentos nacionales: Correos de Chile, el Museo Histórico Nacional y el edificio de la Municipalidad.

*Santiago*
*The Plaza de Armas with the Catedral in the background.*
*On the left, the statue of Pedro de Valdivia, the founder of Santiago and, on the right, three national monuments: The Chilean Post Office, the National Historic Museum and the Municipal Building.*

Diversos edificios del centro de Santiago fueron construidos por arquitectos franceses en la segunda mitad del siglo XIX, como el Teatro Municipal.

*Various buildings in Santiago downtown were constructed by French architects in the second half of the 19th century, including the Municipal Theater.*

Centro Cultural Estación Mapocho, antiguo terminal de trenes convertido en el principal centro de actividades artísticas y culturales.

*Mapocho Station, Cultural Center. A former railway station converted into the most important center of artistic and cultural activities.*

El Mercado Central.
*The Central Market.*

El Centro Cultural
Palacio de la Moneda.

*The Palace of Moneda
Cultural Centre.*

*Plaza Italia.*

Palacio de Bellas Artes, inaugurado el 18 de septiembre de 1910, con motivo del Centenario de la Independencia de Chile.

*The Palace of Fine Arts, opened on September 18, 1910 to commemorate the Centenary of Independence.*

En la avenida Libertador Bernardo O´Higgins o Alameda, tienen su casa matriz la Universidad Católica y la Universidad de Chile.

*Headquarters of the Catholic University and University of Chile in main street, Libertador Bernardo O'Higgins.*

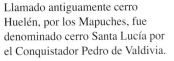

Llamado antiguamente cerro Huelén, por los Mapuches, fue denominado cerro Santa Lucía por el Conquistador Pedro de Valdivia.

*Originally described as Huelen Hill by the Mapuche Indians, the name was changed to Santa Lucia Hill by the Spanish conquistador, Pedro de Valdivia.*

Valle Nevado.

La Parva.

La Cordillera de los Andes, a menos de dos horas de Santiago, ofrece una amplia gama de actividades al aire libre, como andinismo, trekking, cabalgatas y, por su puesto, el esquí, en los modernos centros de La Parva, El Colorado, Farellones, Valle Nevado y Portillo.

*The Andes Mountain Range, less than two hours away from Santiago, offers a wide variety of outdoors activities including climbing, trekking horseback riding and, of course, skiing, in modern centers such as La Parva, El Colorado, Farellones, Valle Nevado and Portillo.*

Portillo.

Parque Nacional Lauca, cerca de la frontera con Bolivia. Elevándose por sobre el lago Chungará (5.200 m), destacan los Payachatas, dos volcanes gemelos, el Parinacota (6.342 m) y el Pomerape (6.250 m).

*Lauca National Park, close to the Bolivian border. Rising over Lake Chungara (5,200 m) with the Payachatas, twin volcanoes, Parinacota (6,342 m) and the Pomerape (6,250 m) in the background.*

Llareta, planta de color verde intenso, propia del Altiplano.

*Llareta, a plant green in color; a native of the Altiplano.*

Bofedal, lugar de pastoreo de llamas y alpacas, camélidos originarios de Sudamérica.

*Bofedal, pasture lands for llamas and alpacas, native South American camelidae.*

Más de 900 dibujos conforman los
Geoglifos de Pintados, al sur de Iquique.
Desde Arica hasta La Serena son numerosos los
testimonios de las culturas precolombinas.

*Over 900 drawings from the geoglyphs*
*of Pintados, south of Iquique.*
*From Arica to La Serena, there are many*
*examples of pre-Colombian cultures.*

Arte Rupestre en el
desierto de Atacama.

*Rupestrian Art in the*
*Atacama Desert.*

Pinturas rupestres,
Paposo.

*Rupestrian painting,
Paposo.*

Tablilla para consumir
alucinógenos, Museo
Padre Le Paige, San
Pedro de Atacama.

*A small board used to
consume hallucinogens,
Padre le Paige Museum,
San Pedro de Atacama.*

Iquique,
Plaza Arturo Prat.

Antofagasta.

Arica.
La Catedral de San
Marcos, obra de
Gustavo Eiffel.

Arica.
Saint Marcos Cathedral,
work of Gustavo Eiffel.

En el puerto de Arica, uno de los
cruceros de lujo que surcan las
aguas chilenas de norte a sur, con el
histórico Morro de Arica al fondo.

*A luxury cruise ship in Arica Port,
one of many that sail in Chilean
waters. In the background, the
historic Morro of Arica.*

El Salar de Atacama, a 2.300 m sobre el nivel del mar, tiene una superficie superior a las 300.000 ha. Junto a Isla de Pascua, Torres del Paine y la Antártica es uno de los íconos turísticos más visitados de Chile.

*The Atacama Salt Flat, 2,300 meters above sea level, has a surface area of over 300,000 hectares. Together with Easter Island, the Torres del Paine and Antarctica, it is one of the most popular tourist attractions in Chile.*

El Cardon (Echinopsis atacamensis)
es un cacto gigante que puede
alcanzar los 7 metros de altura.

*The Cardon (Echinopsis atacamensis)*
*is a giant cactus which reaches up to*
*7 meters in height.*

Tulor, antiguo poblado indígena
*Tulor, an ancient Indian settlement*

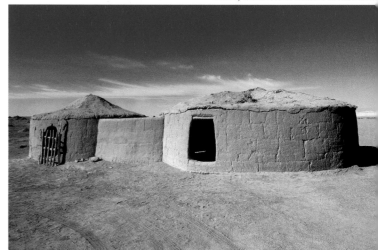

Géiseres del Tatio. El momento preciso para disfrutar este fenómeno geotérmico es al despuntar los primeros rayos de sol.
*Tatio Geysers. The appropriate time to enjoy this geothermic display is at first light as the rays of the sun appear.*

Desierto de Atacama. Vista del Volcán
Licancabur (5.916 m), desde el Valle
de la Luna. Iglesias de Socaire y de
San Pedro de Atacama, donde se
celebra una importante fiesta religiosa
cada 29 de junio.

*Atacama Desert. View of the Licancabur
Volcano (5,916 m) from the Valley of the Moon.
Socaire and San Pedro de Atacama churches
where an important religious festival is
celebrated every 29th of June in the latter.*

Con el debido cuidado y respeto
por la preservación del ecosistema,
se puede explorar el desierto de
Atacama a pie, a caballo, en mountain
bike o en vehículo todo terreno, para
llegar a lugares tan apartados como la
laguna Miñiques.

*With due care and respect for the
conservation of the eco-system, it is
possible to explore the Atacama Desert
on foot, on horseback, mountain bike
or four wheel drive to reach remote
places such as the Miniques Lagoon.*

Reserva Nacional Los Flamencos cerca del Salar de Tara, donde enormes rocas llamadas "moais" o "monjes" parecen vigías erguidos sobre el desierto.

*National Flamingo Reserve near to the Tara Salt Flat where enormous rocks called moais or monks stand proudly on watch over the desert.*

El Valle de la Muerte, festival de colores, formas geológicas sorprendentes. El Desierto de Atacama es el más árido del mundo.

*Valley of the Death, festival of colors, surprising geological formations. The Atacama desert is the driest desert in the world.*

Antofagasta. Monumento Natural La Portada. Chile se ha convertido en un escenario privilegiado para la práctica del parapente.

*Antofagasta. La Portada Natural Monument. Chile has been converted into a privileged place to practise paragliding.*

El desierto florido aparece en las regiones Atacama y Coquimbo después de un invierno particularmente lluvioso.

*The prolific desert blooms appears in the Atacama and Coquimbo Regions after a particularly rainy winter.*

Garra de León
(Leontochir ovallei).

*Lion's claw
(Leontochir ovallei).*

Laguna Verde dominada por el
Nevado Incahuasi (6.541 m).

*The Green Lagoon overshadowed by
Nevado Incahuasi (height 6,541 m).*

Bahía Inglesa,
playa de aguas tibias y tranquilas.

*Bahía Inglesa (English Bay),
a beach with lukewarm waters and quietness.*

Viña del Mar.
Un romántico paseo
en "victoria" frente
al reloj de flores.

*Viña delMar.*
*A romantic ride in the*
*carriage "Victoria" in*
*front of the flower clock.*

Viña del Mar.
Reñaca, playa estrella
del principal balneario
de Chile.

*Viña del Mar.*
*Reñaca beach, the most*
*popular in the leading*
*Chilean holiday resort.*

Viña del Mar. Cerro Castillo, residencia de verano de los Presidentes, con el estero
Marga Marga, abajo, y el castillo Wulff, actual Museo del Mar.

*Viña del Mar. Cerro Castillo, The President's summer residence, with the Marga Marga*
*estuary rivulet below and the Wulff Castle which is now the Maritime Museum.*

Valparaíso, primer puerto de la
República. Plaza Sotomayor
con el Edificio de la Armada
de Chile al fondo y el Monumento
a los Héroes de Iquique.
Coloridas casas, colgadas de los
cerros, y pintorescos ascensores
(págs. 30-31) convierten a
Valparaíso en  Patrimonio
de la Humanidad.

*Valparaiso, the leading Chilean
port. Sotomayor Square with the
Chilean Naval Building in the
background and the Monument
to the Heroes of Iquique.
Colorful houses, suspended in the
hills, and picturesque elevators
(pages 30-31) have  converted
Valparaiso into World Heritage.*

Chile, con fuerte tradición agrícola, es un gran exportador de frutas, pero su mayor orgullo es la producción de vinos. Desde el Valle del Aconcagua, en la Región de Valparaíso, hasta la Región del Maule, más de 100 viñas han conquistado los mercados más exigentes del mundo.

*Chile, with strong agricultural traditions, is an important fruit-exporting country, but its greatest pride is the production of fine wines. From the Aconcagua Valley in the Valparaiso Region up to the Maule Region, more than 100 vineyards, have conquered the most demanding markets in the world.*

El huaso, con su sombrero de ala ancha y su manta de vivos colores, es el personaje típico del campo chileno y el alma del rodeo, la fiesta tradicional más importante del país.

*The Chilean cowboy (huaso), with his wide-brimmed hat and his multi-colored manta, is a familiar sight in the Chilean countryside and also the life and soul of the rodeo, the most important traditional festival in the country.*

El Lago Villarrica, Pucón y
el Volcán Villarrica (2.847 m)
ofrecen una gran variedad de
actividades turísticas y
deportivas tanto en verano
como en invierno.

*Lake Villarrica, Pucon and the
Villarrica Volcano (2,847 m)
offer a wide variety of tourist
attractions and sports, both
in summer and winter.*

Mujer mapuche,
orgullosa de sus tradiciones.

*A Mapuche woman,
proud of her traditions.*

Parque Nacional Conguillío. Araucaria (Araucaria araucana), árbol emblemático de Chile, y Volcán Llaima (3.125 m).

Desde los Saltos del Petrohué se aprecia la majestuosidad del Volcán Osorno (2.652 m), ubicado entre los Lagos Llanquihue y Todos los Santos.

*Conguillio National Park. Araucaria (Araucaria araucana), the symbolic tree of Chile, and the Llaima Volcano (3,125 m).*

*From the Petrohue Falls, one can appreciate the majesty of the Osorno Volcano (2,652 m), located between Lakes Llanquihue and Todos los Santos.*

Valdivia, ciudad fluvial entre los ríos Calle-Calle y Cruces.

*Valdivia, the fluvial city between the Calle-Calle and Cruces rivers.*

Puerto Varas, Iglesia del Sagrado Corazón de Jesús.

*Puerto Varas, Sacred Heart of Jesus Church.*

Puerto Montt y una vista espectacular de los volcanes Osorno, Puntiagudo y Calbuco.

*Puerto Montt and a spectacular view of the Osorno, Puntiagudo and Calbuco volcanoes.*

Castro, capital del Archipiélago de Chiloé, universo aparte en la "loca geografía" chilena.

*Castro, capital of Chiloe Archipelago, a world apart from the crazy Chilean geography.*

Iglesia de Vilupulli (a la izquierda) e interior de la Iglesia de Castro, dos de los 16 templos chilotes declarados Patrimonio de la Humanidad por la UNESCO.

*Vilupulli Church (left) and interior of Castro Church, two of the sixteen churches of Chiloe declared as World Heritage by UNESCO.*

Ventisquero Colgante en el Parque
Nacional Queulat.

*Hanging Glacier, Queulat
National Park.*

Monte San Valentín
(3.910 metros).

*Mount San Valentin
(3,910 metres).*

Parque Nacional Laguna San Rafael.
*San Rafael National Park.*

Río Baker y sus aguas color esmeralda.
Aysen, tierra de pioneros, abierta al turismo a través de la Carretera Austral.

*The Baker River and its emerald-coloured waters.*
*Aysen, the land of pioneers, now accessible to tourists using the Southern Highway.*

Típico paisaje chileno
austral, en Cerro Castillo.

*Typical southerm Chilean
countryside, in Cerro Castillo.*

Piedra Catedral en el
Lago General Carrera.

*The Stone Cathedral in
Lake General Carrera.*

Bosque de alerces (Fitzroya cupresoides),
árboles milenarios declarados Monumento Natural.

*Larch wood (Fitzroya cupresoides),
millenary trees declared a Natural Monument.*

Desde 1978, el Parque Nacional Torres del Paine es parte de la red mundial de reservas de la biosfera. A la izquierda, el Cerro Paine Grande; a la derecha, los famosos Cuernos y parte del Cerro Almirante Nieto o Paine Chico.

*Since 1978, the Torres del Paine National Park has been part of the world network of biosphere reserves. On the left, the Great Paine Hill; on the right, the famous Horns and a part of the Almirante Nieto or Paine Chico Mountain.*

Tanto el glaciar Grey, en el Parque Nacional Torres del Paine, como los glaciares de la Laguna San Rafael
y el glaciar Garibaldi en el Canal Beagle, fascinan a los turistas.

*The Grey Glacier in the Torres del Paine National Park, the glaciers of the San Rafael Lagoon and the Glacier Garibaldi,*
*in the Beagle Channel, fascinate the visitors.*

Parque Nacional Torres del Paine.
El imponente Cerro Fortaleza y
el Valle del Francés.

*Torres del Paine National Park.*
*The imposing Fortaleza Mountain and*
*the French Valley.*

Guanacos y flamencos,
parte de la variada fauna
que habita el parque.

*The guanacos and flamingoes*
*are part of a varied fauna that*
*reside in the park.*

Cóndor solitario sobrevolando el Lago Pehoé.
*A lonely condor flying over Pehoe Lake.*

Punta Arenas, capital de la Región
de Magallanes y la Antártica
Chilena.

*Punta Arenas, capital of the*
*Magallanes Region and the Chilean*
*Antarctic.*

Al Centro de la Plaza, la estatua
de Hernando de Magallanes,
descubridor del Estrecho que
une los océanos Atlántico y
Pacífico.

*In the centre of the Plaza,*
*The statue of Hernando de*
*Magallanes, discoverer of the*
*Strait that unites the Atlantic*
*and Pacific Oceans.*

El Cabo de Hornos, territorio chileno en la ruta hacia la Antártica.

*Cape Horn, Chilean territory on the route towards the Antarctic.*

Chile se proyecta a la Antártica, contribuyendo de manera determinante a la protección y preservación del frágil Continente Blanco, y apoyando la labor científica internacional, indispensable para el futuro de la humanidad.

*Chile extends to the Antarctic, contributing positively to the protection and preservation of the fragile White Continent, and supports international scientific work which is indispensable for the future of humanity.*

Isla de Pascua o Rapa Nui –el ombligo del mundo, la isla más solitaria del planeta–, territorio chileno distante más de 3.000 km. de todo lugar habitado. Es un museo a cielo abierto en medio del Pacífico, donde se destacan los moai, estatuas cuya construcción es todavía un misterio.

Easter Island or Rapa Nui, the umbilical cord of the world. This remote island belongs to Chile and it is more than 3,000 kilometers away from inhabited land. It is an open air museum in the middle of the Pacific Ocean, notable for its Moai, which have still not revealed all their secrets.

Los 15 moai del Ahu, o altar, Tongariki.
*The 15 Moai of the Ahu or Tongariki altar.*

Ceremonias y competencias
tradicionales durante la Semana Rapa Nui.

*Ceremonies and traditional competitions
during Rapa Nui Week.*

Cráter del Volcán Rano Kau.
*Crater, Rano Kau Volcano.*

Aproximación al paraíso,
playa de Anakena.

*Close to paradise,
the Anakena beach.*

Ahu, o altar, Nau Nau.
*Ahu, or altar, Nau Nau.*

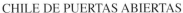

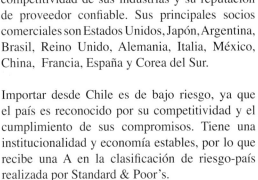
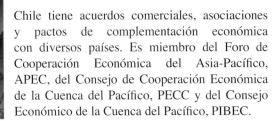

## CHILE DE PUERTAS ABIERTAS

Chile tiene un sistema de libre mercado y es una de las economías más abiertas del mundo. Sus empresas son eficientes y de alta calidad, no existiendo barreras para la exportación ni medidas de corte proteccionista para las importaciones.

Chile exporta a más de 170 mercados, lo que avala la buena calidad de sus productos, la gran competitividad de sus industrias y su reputación de proveedor confiable. Sus principales socios comerciales son Estados Unidos, Japón, Argentina, Brasil, Reino Unido, Alemania, Italia, México, China, Francia, España y Corea del Sur.

Importar desde Chile es de bajo riesgo, ya que el país es reconocido por su competitividad y el cumplimiento de sus compromisos. Tiene una institucionalidad y economía estables, por lo que recibe una A en la clasificación de riesgo-país realizada por Standard & Poor's.

Chile tiene acuerdos comerciales, asociaciones y pactos de complementación económica con diversos países. Es miembro del Foro de Cooperación Económica del Asia-Pacífico, APEC, del Consejo de Cooperación Económica de la Cuenca del Pacífico, PECC y del Consejo Económico de la Cuenca del Pacífico, PIBEC.

También es miembro asociado al Mercado Común del Sur, MERCOSUR (Argentina, Brasil, Paraguay y Uruguay) y tiene Tratados de Libre Comercio con Canadá, México, Estados Unidos de América, la Unión Europea, Corea del Sur, China, Colombia y Japón. Adicionalmente ha suscrito acuerdos de Libre Comercio con Venezuela, Ecuador y Perú y mantiene un acuerdo parcial con Bolivia y un Tratado de Libre Comercio con Centroamérica que incluye El Salvador, Guatemala, Honduras, Nicaragua y Costa Rica.

## CHILE WITH OPEN DOORS

Chile has a free market system, and it is one of the most open economies in the world. Companies work professionally and with high quality. There are no restrictions for exporters and no protectionist measures against importers.

Chile exports to over 170 markets which speaks volumes for the quality of its products, the competitivity of its industries and its reputation as a reliable supplier. The main trading partners are the United States, Japan, Argentina, Brazil, Great Britain, Germany, Italy, Mexico, China, France, Spain and South Korea.

Importing from Chile is classified as low risk because the country is recognized for its competitivity and compliance with commitments. It has an institutionalism and stable economy which is why it has an A-rating in the Standard and Poor´s classification.

Chile has commercial agreements, associations and covenants with several countries. It is a member of the Asian Pacific Economic Cooperation Forum, APEC, the Pacific Economic Cooperation Council, PECC and Pacific Basin Economic Council (PBEC).

Also the country is an associate member of the Southern Common Market, MERCOSUR (Argentina, Brazil, Paraguay and Uruguay) and has free-trade agreements with Canada, Mexico, United States of America, European Union, South Korea, China, Colombia and Japan. Additionally, Chile has subscribed to free-trade agreements with Venezuela, Ecuador and Peru and a partial agreement with Bolivia.
In Central America, Chile has free-trade agreements with El Salvador, Guatemala, Honduras, Nicaragua and Costa Rica.

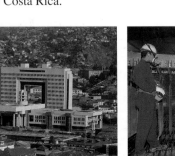